DEDICADO A MATILDA, QUE ME
ENSEÑÓ A DIBUJAR COMO ENRIQUETA.
A CLEMENTINA, QUE LE PUSO DE
NOMBRE "MIFAVORITO" A SU CONEJO
DE PELUCHE. Y A EMMA CUANDO
SE PONE MIS SOMBREROS.

LINIERS—

ESCRITO Y DIBUJADO POR ENRIQUETA

LINIERS

¡MIRÁ LO QUE ME REGALÓ MADRE!

UNA CAJA DE LÁPICES DE COLORES ES LO MÁS CERCA QUE LLEGÁS DE TENER UN PEDAZO DE ARCO IRIS.

¿QUÉ TE PARECE EL TÍTULO?

EL MONSTRU
CABEZAS Y DO

ON TRES
MBREROS
POR
ENRIQUETA

¡CHAPEAU!

CAE LA NOCHE Y EMILIA SE VA A DORMIR

Y EMILIA A VECES
TIENE MIEDO CUANDO
TODO ESTÁ OSCURO

MI FAVORITO,
VOS HOY DORMÍS
CONMIGO

ME ESTOY ASUSTANDO A MI MISMA.

RAC

HMM... ¿QUÉ SERÁ ESE RUIDO?

CROC
¿¡QUÉ SERÁ ESE RUIDO, MIFAVORITO?!
CRIC

EL RUIDO ESTÁ CADA VEZ MÁS CERCA...
CROC
CRAC
PLOM
PLAM

ENRIQUET...
HHHHH

¿QUÉ QUERÉS, FELLINI?
NO... NADA. DEJÁ.

Y DE REPENTE
UNA MANO
MISTERIOSA

SALIÓ DEL PLACARD
Y DEJPUÉS UN PIE
MISTERIOSO.
EN UN BUEN CUENTO, SIEMPRE TIENE QUE PASAR ALGO DE REPENTE.

Y AHORA SE PONE INTERESANTE LA COSA.

UNA CABEZA SALIÓ DEL PLACARD

DESPUÉS OTRA CABEZA
Y OTRA MÁS

EMILIA ESTABA ATERRORIZADA
BUENAS
NOCHES
SEÑORITA

¡Q... Q... QUIÉNES ¿SON USTEDES?

¿VOS VES LO MISMO QUE YO, MI FAVORITO?

BUENA PREGUNTA, EMILIA.

HUGO

PACO
LUIS MIGUEL

¿CÓMO VA ESE CUENTO?

ESPERAR A QUE SE TE OCURRA ALGO ES LA PARTE MÁS DIFÍCIL.

¿POR QUÉ ESTABAN ADENTRO DE MI PLACARD?

ESTAMOS BUSCANDO UN SOMBRERO PARA LUIS MIGUEL, QUE NO TIENE
AY... POBRE

NOS VENDRÍA BIEN UN POCO DE AYUDA
TU PLACARD ESTÁ UN POCO DESORDENADO

LO DEL DESORDEN ESTÁ BASADO EN UNA HISTORIA REAL...
¿NO?

HACE MESES QUE BUSCAMOS UN BUEN SOMBRERO EN TU PLACARD
¿MESES?

ES UN PLACARD ENOOOORME
¿ENORME?

¿POR QUÉ DICEN QUE ES ENORME?
YO LO VEO COMÚN Y CORRIENTE.

EN ESE MOMENTO, LUIS MIGUEL ABRIÓ LAS PUERTAS Y...

LOS PUNTOS SUSPENSIVOS SON LOS PRINCIPALES ALIADOS DEL...
¡SUSPENSO!

EMILIA MIRABA
ASOMBRADA

EL GIGANTESCO ESPACIO REPLETO DE ROPA ADENTRO DEL MUEBLE

¡¿CÓMO PUEDE SER?!

LO QUE PASA ES QUE EL PLACARD ES MADE IN NARNIA.
AH

NO SÉ SI EMILIA SE VA A ANIMAR A ENTRAR A ESE LUGAR TAN EXTRAÑO.

A VER.

Hop

ESTE LUGAR ES UN LABERINTO
LA VIDA ES UN LABERINTO EMILIA.

¿CÓMO HACEMOS PARA ENCONTRAR UN SOMBRERO EN ESTE CAOS?
VAN A NECESITAR AYUDA.

A LO MEJOR LE PODEMOS PREGUNTAR A ESE RATÒN

DISCULPE, AMIGO. ¿PUEDE DECIRNOS DÓNDE ESTÁN LOS SOMBREROS?

ES UN RATÓN DE POCAS PALA-BRAS... COMO VOS, MADARIAGA.

EMILIA Y EL MONSTRUO
CON TRES CABEZAS
Y DOS SOMBREROS

SIGUEN LAS INDICACIONES DEL RATON
¡ALLÁ VEO LOS SOMBREROS!
ESTOY DIBUJANDO RÁPIDO PORQUE QUIERO SABER QUÉ VA A PASAR.

WOW

LAS MEJORES COSAS SON LAS QUE TE HACEN DECIR "WOW"
O "MIAU"

BOMBÍN
CANOTIER
AKUBRA
FEDORA
PANAMÁ
GALERA
BIRRETE

HOMBURG
PORKPIE
CAPOTAIN
BICORNIO
CHAMBERGO
STETSON
FEZ
GORRO
FRIGIO

ESTA ENCICLOPEDIA VIEJA SABE MUCHO DE SOMBREROLOGÍA.

¡RÁPIDO! ELEGÍ UNO QUE TE GUSTE Y VAMOS.
ANTES DE QUE LLEGUE EL MONSTRUO

¿¡HAY OTRO!?

EL MONSTRUO CON UNA CABEZA Y TRES SOMBREROS.
¡EPA!

SHH, FELLINI.
SILENCIO.

ME PARECE QUÉ ESCUCHÉ ALG...

AAA

AAA

AAAAAAAAA
AAAAAAAA
AAAAA

AAAAAAAA

¡LO PERDIMOS!

¡NOS PERDIMOS!

ESTAMOS PERDIDOS.
ALLÁ ESTÁ EL RATÓN.

DISCULPE, AMIGO. ¿PUEDE DECIRNOS DÓNDE ESTÁ LA SALIDA?

BUENO... ¿LOS SACAMOS DE AHÍ ADENTRO?

PLUM
PLOM

PLAM

EMILIA CERRÓ EL PLACARD CON TODAS SUS FUERZAS
PLAM

HUGO, PACO Y, SOBRE TODO, LUIS MIGUEL ESTABAN TAN CONTENTOS CON EL SOMBRERO NUEVO

ME PARECE QUE ESTE CUENTO ES CON FINAL FELIZ.

GRACIAS POR AYUDARNOS, EMILIA. AHORA NOS TENEMOS QUE IR.

PERO ANTES DE VOLAR POR LA VENTANA, TE-NEMOS UN REGALO
LO ESCONDIMOS ADENTRO DE LA REMERA.

CHAU, EMILIA

CHAU, MI FAVORITO

SE VAN POR LA VENTANA, ENTRAN POR EL PLACARD... LOS MONSTRUOS ODIAN LAS PUERTAS.
AJÁ.
AHORA VEAMOS QUÉ LE REGALARON A EMILIA PORQUE ME DA MUCHA INTRIGA.

FIN
FIN

LISTO... AHORA A BUSCAR UNA EDITORIAL.

LINIERS
ESCRITO Y DIBUJADO POR ENRIQUETA. - 1A ED. - CIUDAD AUTÓNOMA DE BUENOS AIRES : LA EDITORIAL COMÚN, 2015.
73 P. : IL. ; 23X15 CM.

ISBN 978-987-3795-03-9

1. NARRATIVA INFANTIL ARGENTINA. I. TÍTULO.
CDD A863.928 2

FECHA DE CATALOGACIÓN: 12/01/2015

DISEÑO: MAGDALENA OKECKI
CORRECCIÓN: FLORENCIA ABBA

TALCAHUANO 768 | PISO 10 | C1013AAP
CIUDAD AUTÓNOMA DE BUENOS AIRES | ARGENTINA

WWW.LAEDITORIALCOMUN.COM

Hecho el depósito que dispone la Ley 11.723

Impreso en la Argentina
Printed in Argentina

Edicion de 5000 ejemplares impresa en Galt Printing S.A. Ayolas 494 C1159AAB CABA Argentina en enero 2015.